La Septième

L'ARBRE SACRÉ

III

Marilou Addison

Catalogage avant publication de Bibliothèque et Archives nationales du Québec et Bibliothèque et Archives Canada

Addison, Marilou

      L'arbre sacré

      (La septième ; 3)
      Pour enfants de 8 ans et plus.

      ISBN 978-2-89595-797-3

      I. Titre.

PS8551.D336A72 2014   jC843'.6   C2014-940279-1
PS9551.D336A72 2014

Auteure : Marilou Addison
Révision : Christine Barozzi et Anne-Marie Théorêt
Correction : Anne-Marie Théorêt
Illustrations : Annie Rodrigue
Graphisme : Julie Deschênes

Dépôt légal — Bibliothèque et Archives nationales du Québec, 1er trimestre 2014

ISBN 978-2-89595-797-3

Gouvernement du Québec — Programme de crédit d'impôt pour l'édition de livres — Gestion SODEC

Boomerang éditeur jeunesse remercie la SODEC pour l'aide accordée à son programme éditorial.

Nous reconnaissons l'aide financière du gouvernement du Canada par l'entremise du Fonds du livre du Canada (FLC) pour nos activités d'édition.

ASSOCIATION NATIONALE DES ÉDITEURS DE LIVRES

Imprimé au Canada

Merci à Nathalie B. et Julie A.,
avec qui j'ai eu de nouvelles idées…

La Septième

* ☆ *

N'avez-vous jamais entendu parler de cette vieille légende qui dit que la septième enfant d'une famille posséderait un don ? Et qu'à son septième anniversaire, ce don lui serait donné grâce aux pouvoirs d'une pierre précieuse ? Non ? Alors, toute une quête d'aventures et de mystère vous attend !

La quête d'Opalyne et de la sphère magique...

Maintenant, imaginez cette jeune fille qui serait à l'aube de ses neuf ans, mais qui n'aurait pas encore reçu son don. Elle doit partir à la recherche de celui de ses six ancêtres afin d'acquérir le sien.

Nous y sommes presque... Ah oui !
Il ne faut pas oublier les talents de
joueuse de tours d'Opalyne, son caractère affirmé et surtout (surtout !) son
épouvantable, abominable et insupportable voisin et ami surnommé PEF.

Ensemble, parviendront-ils à
déjouer le mauvais sort, à faire quelques
bonds dans le passé et à retracer les
pierres magiques représentant les six
premières générations de femmes de la
famille d'Opalyne ?

Ces six pierres enfin réunies ne
compléteront toutefois pas la sphère
magique, puisqu'il manquera encore
la dernière (et non la moindre !) : celle
d'Opalyne... Car seule l'insertion de chacune des pierres dans la sphère pourra
dévoiler son don à la jeune fille !

Pour en savoir davantage sur la
quête d'Opalyne, il vous faudra donc lire
cette fabuleuse série de 7 tomes...

TENTATIVE DE MAUVAIS C⬤:UP (RATÉE)

J'aimerais pouvoir vous dire que je réussis toujours TOUS mes mauvais coups…

J'adorerais vous convaincre que je ne rate jamais rien. Que tout ce que j'entreprends est couronné de succès. (Ce qui n'est quand même pas très loin de la vérité non plus…) Mais cette fois, laissez-moi vous raconter le (SEUL !!!) mauvais coup qui a échoué à ce jour…

C'est que l'idée était gé-nia-le, malgré tout. Et parfois, il faut faire preuve de modestie. (En tout cas,

c'est ce que me répète constamment tante Fannie.)

Tout d'abord, vous devez vous procurer un objet que vous ne trouverez que dans un magasin de farces et attrapes. Vous savez, cette boutique dans laquelle on pourrait passer des heures et des heures? À imaginer les pires mauvais coups de la terre!?

L'endroit qui ressemble le plus au paradis, quoi!

Entre la troisième et la quatrième rangée (juste à côté des sacs à vomi en plastique et des imitations de crottes de lapin), vous dénicherez LA pièce indispensable pour ce mauvais tour: le sac à pets! Vous le tenez? Ça y est? Bon, allez le payer, on se retrouve à la sortie.

(J'ai deux ou trois achats supplémentaires à effectuer, pendant ce temps...)

Maintenant que nous avons tout le nécessaire en main, choisissez le bon moment pour l'utiliser. En classe, à table, ou simplement dans le bureau de votre père. Normalement, ce tour est simple et amusant. Mais dans mon cas, comme j'avais choisi de m'en servir durant le trajet en autobus nous amenant au Centre d'interprétation des Amérindiens...

Disons que l'expérience a légèrement dérapé.

Au moment où je mettais le sac à pets sur le banc de Millie la pie, PEF a dû m'apercevoir (ce traître à quatre pattes !!!) et il a profité de l'instant où je cherchais

ma bouteille d'eau dans le compartiment à bagages... POUR METTRE LE SAC À PETS SOUS MOI!!!

Devinez comment on risque de me surnommer, désormais? Grrr... Il ne paie rien pour attendre, celui-là!!! Justement, la sortie scolaire est loin d'être terminée. Tout peut encore arriver, pour ce cher PEF...

Parlons statistiques

Combien de probabilités y avait-il pour que je doive faire équipe avec ma pire ennemie?

Hum...?

Selon un sondage effectué auprès de plusieurs élèves de ma classe, je suis la SEULE à me retrouver coincée avec une personne que je ne peux pas voir en peinture!!! Les autres ont tous pigé le numéro gagnant! Tandis que moi, je dois passer la journée avec la seule élève que je ne peux tolérer à moins de deux pupitres de moi : Millie la chipie !!!

Je vous remets en contexte, car je sens que certains d'entre vous ont déjà oublié de qui il s'agit.

Millie est nouvelle à notre école. Dès le début de l'année, il y a deux semaines seulement, elle est devenue LA fille intéressante de la classe. Toutes les autres veulent être son amie. Elles voient en Millie un modèle à imiter. Mais toutes les filles ne peuvent pas lire dans les pensées… comme moi ! Car, malgré le blocage que je tente d'ériger entre Millie et moi, rien n'y fait : j'entends tout. Comme si elle me criait dans les oreilles.

Chaque petit commentaire mesquin, chaque insulte qu'elle garde bien enfouie dans sa tête, moi, je me les farcis! Et la plupart du temps, cela me concerne!

Grrr...

Alors, imaginez un peu le calvaire depuis le début de la journée!

Ah, c'est vrai, j'oubliais de vous parler de l'endroit où nous allons. Une minute, je mets le tout sur **PAUSE** et je vous explique...

Un claquement de doigts et l'autobus s'arrête, les rires s'estompent et tous les élèves près de moi se figent. (Une grimace dans le visage, un bras dans les airs ou les yeux un peu croches, selon la position qu'ils avaient avant que je ne fasse claquer mon majeur et mon pouce ensemble.)

Oh! Ne paniquez pas, je viens seulement d'arrêter le temps. Bon, je crois que je vous dois quelques éclaircissements. Alors, on rembobine le tout et on revient aux derniers événements où je vous avais tous laissés…

Où en étions-nous? PEF dans les airs, Laurie qui le regardait en ouvrant la bouche, s'apprêtant à hurler. Il allait lui tomber dessus, c'est ça? Puis, après que j'ai réussi à insérer le saphir dans la sphère magique, tout s'est arrêté. Je venais de trouver mon nouveau don: celui de stopper le temps.

Je me suis donc précipitée pour pousser Laurie de là. J'ai ensuite tiré sur PEF afin de le faire descendre au sol, question de lui éviter de tomber et de se casser quelque chose. Puisque je ne maîtrisais pas encore mon don (à ce moment, du moins), le temps a repris son cours et PEF s'est carrément écrasé sur moi. On a écopé d'un mal de fesses et de quelques douleurs aux côtes, mais sans plus. Sauf qu'il a fallu que j'explique à mes amis comment j'avais pu me déplacer aussi vite.

Ils étaient fous de joie d'apprendre en quoi consistait mon nouveau don. Ainsi, depuis deux semaines intensives d'entraînement, je peux dire que je contrôle sans trop de mal ce pouvoir. Bon, parfois, j'ai un peu de difficulté à faire redémarrer le tout, mais en général, avec du calme et de la patience (qui font partie de mes plus grandes qualités...), je parviens à maîtriser la situation.

Voilà pour mon don. Maintenant, je voulais vous expliquer où nous sommes et, surtout, quelle est notre destination !

L'autobus scolaire est en route pour le Centre d'interprétation des Amérindiens. Nous y passerons la journée et durant les diverses activités qui auront lieu, nous serons jumelés avec un camarade de classe. (Dans mon cas, ce n'est pas un jumelage, mais plutôt l'enfer de l'emprisonnement !)

Millie a enfilé de jolies bottes de pluie roses alors que moi, j'ai hérité des bottes usées de

mes sœurs aînées. Son imperméable est de la même couleur
que ses bottes et il est ajusté à son
corps, pour lui donner l'air d'être
à la mode.

Moi… j'ai dû me satisfaire d'un vieux manteau brun, avec des trous dans les poches… Vraiment, on forme une équipe d'enfer !

Millie se fait d'ailleurs la même réflexion, tandis qu'elle m'observe du coin de l'œil. Au moins, je sais qu'elle n'est pas plus heureuse que moi de devoir faire équipe avec ma petite personne…

L'autobus tourne lourdement sur une route escarpée. Millie pose ses mains aux ongles vernis (en rose, franchement !) sur le dossier devant nous, pour ne pas glisser sur son siège. Avec mon habileté légendaire, je bascule vers la rangée du centre et m'écrase par terre.

Une main se tend pour m'aider à me relever et, en l'attrapant, je croise le regard de Laurie, qui compatit avec moi. En lisant ses pensées, je me trouve bien chanceuse de m'être fait cette « meilleure ennemie », lors des deux dernières semaines…

Lorsque le véhicule se stationne enfin, les élèves se précipitent à l'extérieur, heureux de se dégourdir les jambes. Le tout se fait dans un nuage de poussière particulièrement déplaisant. Et tandis que j'observe la forêt qui nous entoure, les huttes faites de branches et de feuilles qu'on aperçoit au loin et les drôles de moniteurs qui s'approchent de nous en souriant, je me pose cette question : « Où venons-nous de débarquer…? »

Le Centre d'interprétation des Amérindiens

★ ☆ ★

Oyez, oyez!

Vous ne savez pas où emmener vos jeunes lors de votre prochaine sortie scolaire? Vous appréciez la compagnie des insectes de tout acabit? Vous aimez plus que tout les parcours dans la boue, les sentiers en forêt et l'herbe à puces? Vous a-do-re-riez perdre un ou deux élèves à travers les conifères? (Bon, ça, c'est moi qui viens de l'ajouter…)

Alors, le Centre d'interprétation des Amérindiens est l'endroit qu'il vous faut!!!

Mieux encore: choisissez vous-même les équipes ! Jumelez des élèves qui se détestent. Demandez-leur de coopérer, de s'entraider et de communiquer ! Ensuite, obligez votre groupe à apporter un lunch froid. Rien de mieux que des sandwichs au simili-poulet pour redonner le sourire à tout un chacun ! Ajoutez-y quelques carottes desséchées, du *fromage* un peu trop mou et un dessert tout « écrapouti »...

Voilà ! Quelle journée mémorable vous aurez organisée pour votre classe ! Les jeunes sauront vous remercier... à leur *façon* ! (Attention aux prochains mauvais coups dont vous pourriez être la cible, par contre...)

Rhododendron
l'a dit !

Il se dresse devant nous, sur ses deux longues (très longues… trop longues ?) jambes. Comme il est vêtu d'un short court, ses genoux semblent encore plus gros. Il faut dire que ses cuisses sont si maigrichonnes que je me demande comment il parvient à tenir debout !

De qui je parle ? De nul autre que notre animateur pour

la journée : Rhododendron chevelu !!! (Ou Rhodo, pour les intimes…)

Pourquoi chevelu ? Parce qu'il est doté d'une incroyable perruque frisée qui va dans tous les sens ! (Ah non, ce sont ses vrais cheveux. Je suis allée vérifier en lui tirant la tignasse dès que j'ai pu m'approcher de lui et arrêter le temps pour ne pas lui faire mal…)

Quand même ! Quel drôle de surnom !!!

Rhododendron a la peau mate, pas tout à fait noire, mais pas tout à fait blanche non plus. Il nous a expliqué en long et en large que sa mère était Africaine de naissance et son père… Bien, son père a toujours habité au Québec.

Chose certaine, notre animateur a la langue bien pendue. Comme il a le sens du spectacle, il nous fait rire avec ses farces et ses grimaces. Seule Millie, à ma droite, pince les lèvres d'un air

agacé, en soupirant. Je profite du silence qui se fait dès que Rhodo se remet à parler, les jeunes buvant ses paroles aveuglément, pour aller fouiller dans la tête de Millie.

Ce que j'y trouve ne me surprend guère...

« Pfff... Qu'est-ce qu'ils peuvent lui trouver de drôle, à ce Rhodo-truc?! Ce n'est pas comme s'il racontait quoi que ce soit d'intéressant! Et dire que je vais devoir passer la journée dehors, à me salir et à me faire dépeigner en participant à je ne sais quelle activité... Si au moins maman avait accepté de me garder à la maison. Mais pas moyen de lui en passer une et de faire croire que j'étais malade! Argh, mais qu'est-ce qu'elle a à me regarder comme ça, Opalyne??? Elle veut ma photo, peut-être? »

Je réalise alors que je dévisage Millie sans même me cacher. Rapidement, je tourne la tête vers Rhododendron, qui continue ses pitreries à l'avant. Il nous demande, avec moult simagrées, de quelle façon on peut connaître l'âge véritable d'un arbre.

— C'est d'une simplicité, mes amis! s'exclame-t-il. Quelqu'un a une suggestion?

Puisque personne n'ose lever la main et que je vois clairement où notre animateur veut en venir, je finis par lui faire signe que je connais la réponse. (Fastoche! Ses pensées sont on ne peut plus claires et limpides.)

— On doit compter les anneaux que l'on retrouve dans le tronc de l'arbre.

— BONNE RÉPONSE !!! s'écrie Rhododendron avec un peu trop d'enthousiasme. Et, dis-moi, jeune fille, que peut-on savoir d'autre, en regardant ces fameux anneaux ? Hum…?

Je hausse les épaules, sans comprendre sa question. Il se fait alors un plaisir de nous dire que nous pouvons presque connaître la météo de l'été dernier, de cette manière. Convaincue qu'il exagère, je fronce les sourcils.

— Je vous explique ! Chaque anneau représente une saison estivale, au moment où l'arbre était en pleine croissance. Lorsque l'hiver arrive, la croissance s'arrête.

Ainsi, on peut savoir si les mois de juin, juillet et août ont été chauds en vérifiant la largeur de ce même anneau ! Été chaud égale gros anneau. Été frisquet équivaut à petit anneau ! termine-t-il en s'applaudissant lui-même.

Pour s'assurer que nous avons bien compris ses explications, il nous demande de le suivre en direction de la forêt. Avec notre coéquipier, nous allons pouvoir tenter de connaître l'âge des arbres. Je jette un coup d'œil à Millie, qui se traîne les pieds derrière moi.

Génial...

Je voudrais lui donner une bonne claque derrière la tête pour la faire revenir sur terre, mais je pense qu'elle se vexerait un peu...

Il n'y a que PEF pour endurer mon empressement et mon manque de patience. D'ailleurs, à propos de PEF (le chanceux), il fait équipe avec ma meilleure ennemie : Laurie. Et ils sont dans le groupe d'une autre animatrice : Troglodyte sucré. Cette dernière est une fille pas très grande, mais avec un beau sourire et des joues bien rondes. N'empêche, quels drôles de surnoms ils se sont donnés, dans ce camp !

Pour en revenir à Millie, je finis par me tanner et la presse d'avancer plus vite.

— Allez, Millie, Rhododendron a dit que...

— On s'en fiche, de Rhodotruc ! Ça te dirait de faire autre chose ?

— Mais... on ne peut pas, Millie, il faut suivre le groupe et trouver l'âge des arbres.

— Ouais, mais dans une forêt... tout peut arriver, non ?! Allez, et si on leur jouait un mauvais coup ? T'as une idée ? me demande-t-elle, sans se douter un seul instant qu'elle est tombée justement sur l'as des as, quand il est question de jouer des tours...

MAUVAIS COUP
AVEC UNE NOUVELLE COÉQUIPIÈRE

Non, je sais, ce n'est pas dans mes habitudes de faire équipe avec quelqu'un pour organiser des mauvais coups. Et ce n'est pas non plus mon genre de m'acoquiner avec une fille telle que Millie…

Mais… ne dit-on pas qu'il faut garder ses ennemis le plus près possible de soi?

Question de les surveiller…

J'en suis donc à tenter de suivre ma coéquipière entre les arbres aux épines piquantes afin de nous éloigner de notre groupe. Les élèves étant tout à fait subjugués par Rhododendron, notre fuite n'en a été que plus facile. Lorsque Millie s'arrête d'un coup et s'accroupit au sol, je manque de lui rentrer dedans.

Heureusement, j'ai pu lire dans sa tête toutes les actions qu'elle s'apprête à faire. La voilà maintenant qui marmonne, autant entre ses dents qu'entre ses deux oreilles :

« Bon… Le sol doit être le plus sec possible. Et comme il est couvert d'épines, ça devrait être parfait. Où est-ce que j'ai rangé ma loupe, maintenant ? » se demande-t-elle en farfouillant dans la poche de son imperméable.

Victorieuse, elle en ressort une énorme loupe. Puis, sans même me jeter un coup d'œil, elle la met à quelques centimètres

du sol afin de faire refléter la lumière du soleil directement sur le tapis d'épines.

Oh non! Elle veut… elle va…

Au moment où je me fais la réflexion que ce n'est vraiment pas un tour à jouer, une minuscule étincelle brille sous sa loupe. Pour ensuite faire place à un long jet de fumée noire. Avant de complètement s'embraser!!!

Aïe, aïe, aïe!

Millie est en train de mettre le feu à la forêt!!!

* * *

AVERTISSEMENT!!!
VOICI UN TOUR À NE PAS
REPRODUIRE À LA MAISON!!!

* * *

CLAC
CLAC

3

Un dîner à la sauce tomate

Le directeur du camp nous tient solidement par le collet de notre imperméable, tandis que je jure sur la tête de TOUTES mes sœurs que Millie va me le payer!

Après tout, je ne suis pas responsable de chacune des idioties que peut faire ma coéquipière!!!

Mais le directeur ne semble pas d'accord. Je suis sa « complice », comme il n'arrête pas de le répéter. Malheureusement, même si c'est grâce à moi que le feu ne s'est pas propagé dans toute la forêt, je ne peux pas me disculper...

(Je doute qu'il me croie si je lui dis qu'avec mon don, j'ai pu arrêter le temps et sauter à pieds joints dans le petit tas de fumée ! J'ai pourtant une preuve, car mes bottes ont un peu fondu... D'ailleurs, il va bien falloir que j'explique ça à tante Fannie...)

Heureusement, Rhododendron s'interpose entre nous et le directeur. Prenant un air repentant, il avoue qu'il ne nous a pas assez surveillées. La moustache du directeur frémit, avant qu'il n'accepte de nous relâcher. À cet instant, un énorme carillon se met à résonner, tout en haut de la bâtisse principale.

— Super ! s'exclame notre moniteur, son air penaud disparaissant en un claquement de doigts. C'est l'heure du dîner ! Vite, n'entendez-vous pas mon ventre gargouiller ??? Allez hop, au pas, mes amis ! Le dernier arrivé est une dinde mouillée !!!

Et il détale sans nous laisser la moindre chance de le dépasser.

J'entends Millie grommeler, mais, fidèle à mes résolutions, je ne l'écoute plus, me dépêchant de rejoindre le groupe qui est parti au galop. Tant pis pour elle ! Dès que je mets le pied dans la cafétéria, mon œil de bichon maltais repère aussitôt PEF et Laurie, assis non loin l'un de l'autre.

Elle a croisé les bras sur sa poitrine. Mon voisin, lui, pousse des soupirs à fendre l'âme tout en piquant sa fourchette dans son thermos pour en sortir une boulette de sauce spaghetti. J'imagine que je ne suis pas la seule à avoir passé un début de journée plutôt difficile…

Je les rejoins très vite pour leur demander :

— Qu'est-ce qui se passe avec vous deux ?

— C'est lui ! s'exclame Laurie en se redressant à mon approche. Il n'arrête pas de me jouer des tours. Je suis tannée d'être en équipe avec lui ! Comment tu fais pour l'endurer, Opalyne ?!? Et en plus, on est obligés de rester ensemble TOUTE la journée. Même sur l'heure du dîner! D'ailleurs, elle est où, ta coéquipière…?

— Ah, ne m'en parle pas! Elle est…

— Millie! me coupe PEF, en lui souriant de toutes ses dents alors qu'elle s'avance vers nous. (Et comme ses deux dents de devant sont un peu croches, il est loin d'être aussi séduisant qu'il se l'imagine…)

Tout en se redressant, PEF relève sa fourchette et la boulette qui s'y trouvait toujours est propulsée malencontreusement dans les airs. Elle fait un vol plané au-dessus de la table pour atterrir droit sur la joue de la jolie Millie… (Il faut bien lui donner ça: le rouge tomate lui va à merveille!)

La voilà justement qui voit…
ROUGE !!!

Elle inspire trois grands coups, serre les poings, ouvre la bouche et… se met à hurler, en pleine cafétéria ! Son cri est si aigu

que tous les jeunes se trouvant à moins de cinq mètres de distance se bouchent aussitôt les oreilles. (À moins d'être déjà sourd, impossible de supporter un tel son!)

On croirait entendre la sirène d'une ambulance ou d'un camion de pompier. Même le directeur du Centre d'interprétation des Amérindiens, qui vient de pénétrer dans la cafétéria, se jette au sol, croyant à tort que la sirène d'alarme est enclenchée.

Je crois bien que je n'ai pas le choix...

Le temps de claquer des doigts et un silence bienfaisant se fait dans la grande salle. J'en profite quelques secondes, avant de me décider à agir. Des yeux, je cherche ce qui pourrait m'être utile, quand mon regard tombe sur une belle boulette, toujours dans le thermos de PEF. Sans hésiter, je l'empoigne à pleine main et la coince dans la bouche de Millie.

Bon, je sais que ce n'est pas très gentil, mais je dois la faire taire avant que nos tympans éclatent!

Second claquement et hop, Millie écarquille les yeux, sans comprendre ce qui lui arrive. J'essuie discrètement mes mains pleines de sauce sur la nappe de la table, tandis que Rhododendron, suivi de près par notre enseignante, s'approche de nous.

— Voyons, ma jeune amie! Que se passe-t-il pour que tu fasses ainsi résonner en nos murs ton cri primal ? Et qu'est-ce qui est coincé entre tes dents, ma petite ? murmure-t-il, en se grattant la tignasse.

Millie se tortille et tente d'insérer ses doigts dans sa bouche pour en retirer la boulette, mais rien n'y fait. Elle va devoir la garder encore un moment. Et nous, nous allons pouvoir nous déboucher les oreilles.

Ouf...

Si j'avais su qu'une simple tache sur sa joue pouvait la mettre dans cet état, j'en aurais peut-être profité avant...

Tandis que Millie est entraînée vers l'infirmerie du centre, mes amis et moi ne pouvons nous empêcher de pouffer de rire. Même PEF se met de la partie.

Et maintenant que ma coéquipière est disparue, autant en profiter pour discuter sérieusement entre nous.

Ma quête pour retrouver tous les dons de mes ancêtres est loin d'être terminée…

Le directeur vient de se relever et essuie son veston avec maladresse, avant de nous lancer un regard suspicieux. En fin de compte, je crois que je vais parler directement dans la tête de PEF et de Laurie.

Car, comme le dit si bien le dicton : « Les murs portent des boucles d'oreilles ! » Non, ce n'est pas ça… « Les murs ont des orteils ? » Non plus…

Bon, peu importe, vous avez compris !

Le directeur

★ ☆ ★

Comment un homme bedonnant, moustachu et plutôt court sur pattes peut-il m'inspirer autant de crainte? En fait, je ne pourrais l'expliquer, mais je crois que c'est parce qu'il me rappelle quelqu'un... Quelqu'un que je ne vois pas très souvent. Et qui me manque beaucoup.

Mon papa...

Oh, n'allez pas croire qu'il ressemble physiquement au directeur de ce centre! Mon père est assez grand et il n'a aucune bedaine! Mais il porte la moustache, c'est vrai, et il a une grosse voix quand il me parle. Ses baisers sur mes joues me chatouillent et me *font* rire. Comme mon anniversaire arrive à grands pas (la semaine prochaine!!!), je devrais recevoir une carte de *fête* de sa part très très bientôt!

Ses lettres sont toujours rigolotes et accompagnées de tas de photos de lui, dans les divers pays qu'il visite. Il y glisse aussi habituellement quelques dollars en papier, pour que je puisse choisir moi-même mon cadeau. Évidemment, ce ne sont pas les sous qui me *font* le plus plaisir...

Bon, je vous parlais du directeur, hein!? Pour en revenir à nos pingouins miniatures, disons qu'il me *fiche* la trouille et que je le soupçonne de ne pas trop me porter dans son cœur. J'ai l'impression qu'il me croit coupable d'un crime que je n'ai pas commis! Ce qu'il me *faudrait*,

comme prochain don, c'est de manipuler la pensée des autres ! Ça serait
pratique, non ? Mais pas tellement
gentil, par contre.

Justement, il s'approche de
notre table, alors je vous laisse…

4

La bonne nouvelle est dans l'enveloppe!

Ouf!!!

Journée terminée!

Avec Millie mise K.O., Rhododendron m'a permis de m'intégrer dans une équipe déjà formée de deux élèves. Je lui ai demandé si je pouvais aller avec PEF et Laurie. Malheureusement, comme ils étaient avec Troglodyte, l'autre animatrice, c'était impossible. Je me suis retrouvée avec Eddie et Félix. Le premier (qui est un bon ami de PEF) est drôle et a toujours mille et une idées pour gagner les épreuves, tandis que le second...

Oh, Félix est gentil, il est même très drôle, mais... Il ne songe qu'à manger ! Tout l'après-midi, il n'a fait que se plaindre que son ventre gargouillait et qu'il avait faim ! Je ne suis pas déçue de ne plus avoir à l'entendre...

Assise à côté de Millie, qui boude et refuse même de me jeter le moindre coup d'œil, je peux laisser mes pensées vagabonder là où elles le veulent. (C'est que Millie porte encore la marque de la boulette sur sa pommette droite, et je dois me contrôler pour ne pas pouffer de rire!)

L'autobus est ballotté par les crevasses qui creusent la route, ainsi que par toutes les courbes que nous devons emprunter pour revenir à l'école. Au loin, j'aperçois enfin le bâtiment de l'école des Sept Coucous qui se dresse majestueusement.

Dans la cour, des dizaines de parents sont venus accueillir les élèves. Je cherche une de mes tantes des yeux et finis par voir Fannie, qui agite une lettre dans les airs. Nous sommes encore à plusieurs mètres du stationnement, mais puisque la curiosité est l'une de mes plus grandes qualités (à moins que ce ne soit un défaut...?), je décide de me concentrer et de lire dans ses pensées.

« Vite, j'ai si hâte de lui annoncer la bonne nouvelle ! Je n'en peux plus ! Elle sera si heureuse. Ça nous fera du bien, avec l'état de maman qui ne s'améliore toujours pas. Et avec son anniversaire qui aura lieu la semaine prochaine, quel beau cadeau ce sera ! Elle ne l'a pas vu depuis au moins six mois. Si ce n'est pas plus... Il va la trouver bien changée, notre belle Opalyne. Elle aura bientôt neuf ans ! Notre petite puce qui devient une préadolescente ! Que le temps passe vite. Si sa mère pouvait la voir. Quoique... Maëva avait bien changé... Et il y a tant de choses qu'Opalyne ignore à son sujet. Un jour ou l'autre, il faudra bien lui en parler… Mais chaque chose en son temps. Oh, voilà son autobus ! Vite, vite, que je lui donne la lettre !!! »

Au fur et à mesure que nous approchons, j'entends plus clairement les pensées de ma tante. Ces dernières me jettent d'ailleurs dans un questionnement intense. À quoi fait-elle référence, quand elle mentionne ma mère ? Et cette lettre... Viendrait-elle de mon père ?!

Dès que le lourd véhicule se stationne, je suis une des premières à sortir pour sauter dans les bras de ma tante.

— Ma belle Opalyne ! Tu as passé une bonne journée ?

— Oui, oui, tante Fannie ! Dis-moi, qu'est-ce que c'est que ça ? lui dis-je en pointant le bout de papier qu'elle tient contre son cœur.

Elle me tend alors la lettre tant convoitée, un sourire en coin.

— Ça vient de ton père. Il nous a appelées ce matin, juste après ton départ pour l'école. Je pense qu'il te réserve une très jolie surprise !

Sans l'écouter davantage, je déchire l'enveloppe et me dépêche de lire le message qui se trouve à l'intérieur. Puis, je hurle de joie :

— IL VA VENIR À MA FÊTE ! IL VA VENIR À MA FÊTE !! PEF, tu as entendu ça, lui dis-je en l'agrippant, alors qu'il descend à peine de l'autobus. Mon père sera là le week-end prochain ! Il va venir à ma fête !!!

— Ça va, j'ai compris, Opale. Pas besoin de me crier dans les oreilles ! En passant, tu ne m'as même pas invité, alors…

— Bien voyons ! C'est certain que tu es invité ! Depuis quand tu ne te pointes pas chez moi pour venir nous voler un morceau de gâteau, de toute façon ?!

— N'exagère pas, Opale… En tout cas, ça tombe bien, parce que j'ai justement trouvé le cadeau parfait pour toi !

— Et moi, je serai invitée ? demande Laurie, en s'arrêtant près de nous.

Trop heureuse pour lui dire non, je hoche la tête avec vigueur, sans même songer que, l'an dernier, JAMAIS Laurie ne serait venue chez moi pour mon anniversaire ! Les choses ont vraiment évolué depuis un an ! Mon ennemie numéro un est devenue, en quelques semaines seulement, ma MEILLEURE ennemie… Si j'étais sincère, je dirais même qu'elle est désormais une très bonne amie.

(Mais chuuuut, ne le dites à personne…)

Millie choisit ce moment pour passer dans mon dos et me bousculer au passage. Je m'apprête à lui dire de faire attention, mais la voilà qui se réfugie dans les bras de son père en geignant.

— Laisse-la faire, murmure Laurie, en l'observant à son tour. Son père est avocat et ils ont beaucoup d'argent. Il vaut mieux ne pas les mettre en colère, ceux-là…

Je voudrais lui dire que je n'ai pas peur de Millie et de sa famille, mais tante Fannie attire

mon attention en demandant
à PEF :

— Ta mère ne pouvait pas
venir te chercher. Tu viens avec
nous ? Je vais te reconduire chez
toi.

Nous saluons Laurie et filons
vers la voiture de ma tante, le
cœur léger et le corps épuisé par
notre journée au grand air.

MAUVAIS COUP

PAR PEF

Cette fois, pas moyen d'y échapper ! PEF est beaucoup trop fier de tous les mauvais coups qu'il a fait subir à Laurie durant la journée. Et puisque je ne rêve que de poser la tête sur l'oreiller de mon lit, j'ai décidé de lui céder ma place...

Si jamais PEF vous en fait voir de toutes les couleurs, n'hésitez pas à venir me le dire, par contre ! Pas question qu'il sabote mon histoire !! Allez, PEF, c'est à toi...

— Vraiment ? Je peux y aller ? Super ultra méga cool !

Mais parle normalement, PEF. Il faut qu'ils puissent te lire et comprendre au moins la moitié de ce que tu racontes, OK?

— Bien sûr, bien sûr!

Donc, comme vous le savez déjà, j'ai dû passer la journée avec Laurie, la nouvelle «meilleure ennemie» d'Opale. Je ne sais pas ce qu'elle lui trouve, d'ailleurs, mais bon, je n'ai pas eu mon mot à dire…

PEF… Viens-en à l'essentiel!

— OK, OK… Comme Laurie me tape parfois sur les nerfs, je n'ai pas hésité une seconde à essayer mes nouveaux mauvais coups sur elle! Laissez-moi vous expliquer…

Tout d'abord, simulez une envie de pipi vraiment pressante. Assurez-vous de ne pas être suivi

et... faufilez-vous dans les toilettes des filles.

Prenez la première cabine, verrouillez-la puis... subtilisez le papier de toilette !

PEF, arrête de chuchoter ! Et qu'est-ce que c'est que cette histoire de papier de toilette ???

— Attends ! Laisse-moi finir ! Bon, ensuite, glissez-vous sous la seconde cabine (sans débarrer la première) et faites la même chose !!! Vous devrez sortir de là au plus vite, avant qu'un moniteur ne remarque votre absence prolongée.

Et lorsque votre victime devra aller aux toilettes à son tour, non seulement les cabines seront toutes fermées, mais en plus elle ne trouvera plus le moindre papier

pour s'essuyer!!! Hi, hi, hi! Pas pire, hein?

PEF!!! C'était toi?!? Franchement! Ce n'est pas un tour à faire, ça! Toutes les filles se plaignaient d'avoir envie! Je comprends pourquoi!!! Une chance que je peux me retenir d'aller aux toilettes aussi longtemps, moi! D'ailleurs, ça me fait penser qu'il va falloir que j'aille y faire un tour au plus vite...

Désolée, c'était la dernière fois que je le laissais seul avec vous! Promis, juré, craché!

— T'oublies toujours de cracher, quand tu dis ça, Opale!

Oh, PEF, tu es vraiment incroyable!!

CLAC
CLAC

5

Journée de congé

=

on grimpe dans les rideaux !!!

Aujourd'hui mardi, nous avons droit à une journée de congé. Après notre sortie au Centre d'interprétation des Amérindiens de la veille, ce n'est pas de refus !

Assis en Indien directement par terre, PEF, Laurie et moi, nous élaborons notre plan pour les prochains jours. Dans une semaine (ou plutôt dans quatre dodos, soit samedi !), ce sera mon anniversaire. Et mon père sera à la maison !!!

Il devrait arriver à l'aéroport très tôt le matin. Tante Fannie et moi irons le chercher là-bas. PEF m'a convaincue de l'emmener avec nous… Il aimerait voir les avions de plus près. (Quand il sera adulte, son rêve serait d'être aviateur.)

Un seul élément manque à mon bonheur… Le réveil de Tourmalyne, ma grand-mère. Elle dort toujours du sommeil du juste. Et comme je viens de le faire remarquer à Laurie, plus moyen de pénétrer dans ses pensées.

On dirait qu'elle a verrouillé la porte d'entrée et qu'elle en a jeté la clé...

— Dans ce cas, tu pourrais essayer de retourner dans la tête de ton chat Fantôme? lance PEF, se croyant malin.

Vous vous souvenez sûrement que c'est grâce aux anciennes vies de mon matou blanc que nous avons pu remonter dans le temps et en découvrir davantage sur Félicienne, mon arrière-arrière-arrière-grand-mère...

— Ça pourrait être une bonne idée, dis-je en poussant un long soupir. À la condition de le retrouver! Depuis notre dernière intrusion dans ses pensées, je ne peux pas l'approcher sans qu'il crache ou miaule. Regardez, pas plus tard que ce matin, il m'a griffé la main !

Et je m'empresse de leur dévoiler une longue entaille toute rouge.

— Bon, mais on n'est pas plus avancés, alors ! gémit Laurie. Comment tu vas faire pour trouver tes autres dons si ta grand-mère ne se réveille pas, que ton chat se sauve de toi et qu'on ne sait même pas qui est ta prochaine ancêtre ?!

— Ah non, pour ça, c'est tout simple ! Il suffit de regarder dans l'album photo de ma famille ! Comme il s'agit de mon arrière-arrière-grand-mère, cette fois, et qu'elle a vécu après les années 1860, les photos étaient inventées ! Je le sais, c'est tatie Annie qui me l'a confirmé! Tourmalyne aurait pu nous parler de sa grand-mère, mais il faudra nous contenter des photos que nous allons trouver.

— D'accord, alors qu'est-ce qu'on attend? s'exclame PEF en sautant sur ses deux pieds.

Nous n'avons pas de temps à perdre! Je leur indique donc le chemin à travers les corridors de ma maison. (Même si PEF les connaît autant que moi!) Nous déboulons dans le salon où ma tante Annie est en train d'épousseter la grande bibliothèque.

— Tatie Annie, j'avais justement besoin de toi! Dis-moi, est-ce que tu sais où se trouve l'album photo de notre famille? Je cherche quelqu'un en particulier...

Elle se tourne vers nous en souriant et pose une main sur sa hanche, tenant son plumeau dans l'autre :

— Bien sûr, mais qu'est-ce que tu mijotes encore, Opalyne ? Tu ne vas pas faire de mauvais coups, comme tu en as l'habitude, hein ? Cet album est précieux pour notre famille, tu le sais. Tu dois le manipuler avec beaucoup de précaution.

— Je sais, tatie. Promis, juré, craché, je ne vais pas l'abîmer !

— Tu dois cracher, Opale, sinon…, murmure PEF à mon oreille, mais je lui assène un solide coup de coude pour qu'il se taise.

— Bon, c'est d'accord, finit par accepter ma tante. Il est rangé tout là-haut, dit-elle, en pointant le sommet de la bibliothèque. Pour y accéder, tu auras besoin d'une échelle. Ou de quelqu'un qui sait grimper, ajoute-t-elle, en blaguant.

C'est oublier que PEF est toujours prêt à relever un nouveau défi. J'ai à peine le temps de me tourner vers lui qu'il a déjà un pied sur la première tablette de la bibliothèque, une main s'agrippant au rideau de la fenêtre tout près, et qu'il se hisse sur la seconde tablette. Mal lui en prend, car le rideau émet un craquement, juste avant de se déchirer dans le sens de la largeur. PEF se retrouve en équilibre, retenu par une seule main, un pied toujours sur l'étagère, tandis que l'autre se balance dans le vide.

Tante Annie lâche un cri d'effroi et je finis par admettre que je vais encore une fois devoir utiliser mon don…

Clac !

Tout ce beau monde se fige, pendant que je donne une poussée sur les fesses de PEF. (Tout en le maudissant d'être aussi idiot ET de m'obliger à poser les mains sur son postérieur !!!) En courbant les épaules sous le derrière de mon insupportable ami, je réussis à libérer une main afin de claquer de nouveau les doigts.

Ma tante se remet à hurler, PEF agrippe le rebord de la bibliothèque, atteignant par le fait même l'album de famille, alors que je grince des dents. (C'est qu'il est lourd, cet abruti !!!)

Je tente de me replacer, mais je fais ainsi perdre l'équilibre à PEF, qui échappe malencontreusement le livre.

Ce dernier tombe lourdement au sol, s'ouvrant sur une vieille photo en noir et blanc où on peut apercevoir plusieurs femmes et enfants alignés les uns à côté

des autres, à l'extérieur. Derrière ces gens, je reconnais même le vieux chêne, mais beaucoup plus petit et frêle. Ma tante arrête enfin de hurler pour se pencher sur l'album en murmurant :

— Oh, regarde un peu, Opalyne. Ce sont nos ancêtres, sur cette photo. Elle date de 1864.

Je me libère du poids de PEF, qui parvient de peine et de misère à descendre de la bibliothèque, et je m'accroupis près de tatie Annie. Du bout du doigt, je pointe les silhouettes sur la photo.

— Tu peux me dire qui c'est ?

— Eh bien, si je me fie à ce que m'a raconté Tourmalyne, il s'agit de Félicienne, juste ici, avec sa grande amie Leyti. Félicienne a eu sept filles, que l'on peut voir devant elle. Elles se sont toutes installées en ordre de grandeur. Et la petite dernière, c'est la grand-mère de Tourmalyne. Elle se nomme Gisabel. Je ne l'ai pas connue, évidemment ! Une grande femme, paraît-il. Qui a vécu une très longue vie…

Je ne l'écoute déjà plus, plongée dans le regard noir de mon ancêtre. (Bon, évidemment, son regard ne peut pas être d'une autre couleur, puisque la photo est en noir et blanc !)

Voici donc celle qui me fera découvrir à la fois le don ET la pierre précieuse… Gisabel !

Gisabel, mon arrière-arrière-grand-mère

* ☆ *

C'est en feuilletant l'album de ma famille, une fois mes amis partis (pour cause de désordre un peu trop intense dans le salon...), que je peux regarder mon aïeule vieillir et se métamorphoser sous mes yeux. Au fur et à mesure des photos, elle devient une vieille dame. Très très vieille, même ! Et sur la dernière photo d'elle, on peut la voir tenir dans ses bras un tout petit bébé habillé avec de la dentelle.

Lentement, je décolle le cliché pour le retourner et y lire l'inscription suivante : « Gisabel et Tourmalyne, printemps 1931 ».

Après un rapide calcul, je comprends que Gisabel a alors soixante-quatorze ans. Ses cheveux tout blancs sont détachés sur ses épaules. Et ils ont gardé une apparence naturelle et saine. Même son visage a été épargné par les rides et les marques des années.

La porte de ma chambre grince et tante Annie vient me rejoindre sur mon lit. Je tourne encore quelques pages de l'album et tombe sur la photo d'une jeune fille âgée de seulement sept ans : ma mère...

Ma tante pose son bras sur mon épaule et prend le temps de bien regarder l'image avant de murmurer, juste pour nous deux :

— Elle était belle, ta maman. Et elle était si pleine de vie. Tu lui ressembles de plus en plus. Ton père sera content de te voir. Il va trouver que tu deviens de plus en plus jolie. Comme elle. Dis... tu aimerais que je relève tes cheveux, pour son arrivée? Quand ils sont attachés, on dirait presque... Enfin, c'est toi qui décides...

Je ne dis rien, mais je hoche la tête pour lui montrer que je suis d'accord. Après quelques minutes de silence, elle finit par me laisser seule de nouveau. Je feuillette l'album encore un peu et remarque qu'il n'y a presque pas de photos de ma mère après ses dix ans. Je referme le livre en fronçant les sourcils, mais je conserve la photo où on voit Gisabel tenant ma grand-mère dans ses bras.

Il faut que je récapitule tout ce que je sais à propos de mon arrière-arrière-grand-mère Gisabel. Puisque Tourmalyne n'est pas en mesure de répondre à mes questions, j'aurai besoin de l'aide de la seule autre personne qui peut avoir connu Gisabel...

6

Un service en attire un autre

Je cogne trois petits coups, suivis d'un autre beaucoup plus long, sur le chambranle de sa porte. (C'est notre code secret, à PEF et à moi.) De cette manière, il sait toujours quand c'est moi qui viens le voir. Et surtout, si c'est une urgence. (Comme maintenant!!!)

La porte s'ouvre à peine que je m'écrie déjà :

— PEF, on n'a pas une seconde à perdre ! Je SAIS ce qu'on doit faire ! Et tout de suite ! Allez, grouille-toi un peu…

— Contente de te voir, moi aussi, Opalyne, me répond sa mère, en souriant malicieuse-ment. Alors, qu'est-ce qui presse autant, ma belle ? Encore une autre de tes trouvailles in-cro-ya-bles ? mime-t-elle en prenant une petite voix. (Elle est drôle, la mère de PEF… Je l'aime bien. Si son fils avait hérité un peu plus de ses gènes, aussi !) Philippe-Étienne est assis dans le salon, si tu veux aller le voir. Il écoute VRAK.

Oh, le chanceux ! Ma tante Fannie refuse ca-té-go-ri-que-ment que j'écoute cette chaîne ! Elle dit que les émissions qu'elle diffuse ne sont pas faites pour moi ! Pfff ! Je ne suis pas un bébé, quand même !!

Je me faufile jusqu'au salon, où je constate avec peu de surprise que **PEF** est hypnotisé par l'écran, de la bave coulant presque sur son menton. Sa main est enfouie dans un sac de popcorn posé sur

ses genoux. Trèèèès lentement, il soulève le bras et porte son poing à sa bouche, sans même avoir pris le moindre grain de maïs soufflé.

Je secoue la tête de découragement, avant de décider qu'il mérite une intervention immédiate et (je l'avoue) légèrement brutale... Soit : une bonne claque derrière la tête ! (Que je lui assène sans le moindre remords...) Le voilà qui sursaute, manque de s'étouffer et échappe son sac par terre. Le popcorn se répand sur le plancher, tandis que son mini-caniche frisé se précipite vers le régal désormais à sa portée.

— Opale !!! Qu'est-ce qui te prend ?!?

— J'ai fait ça pour t'aider, tu sais. Tu étais à deux doigts de te transformer en zombi !

— Tu racontes n'importe quoi ! Et pourquoi tu es ici, d'ailleurs ? Ta tante n'était pas en colère après nous, après le désordre qu'on a fait dans ton salon ?

— Oublie ça, je suis venue pour que tu me rendes un service. Et aussi parce que j'ai trouvé un moyen d'en apprendre davantage sur Gisabel.

— Gisabel ? répète PEF, avec sa mémoire phénoménale.

— Mon arrière-arrière-grand-mère, triple nigaud !!

— Ah... OK, mais si tu veux que je te rende un service, il va falloir que tu m'en rendes un, toi aussi. Car, comme le dit toujours mon père : un service en attire un autre.

— Hum... C'est bon. Mais ça dépend de ce que tu veux, par contre ! Pas question que je te donne toutes mes économies ou que j'accepte je ne sais trop quelle demande bizarre !

— Mais non, n'aie pas peur ! Bon, alors qu'est-ce que je peux faire pour toi ?

Je m'assois sur le même divan que lui et le fixe droit dans les yeux, avant de souffler :

— Il faudrait qu'on aille voir ta grand-mère.

— Ma grand-mère ? Mais tu sais très bien qu'elle habite beaucoup trop loin ! Même si c'est vrai que son sucre à la crème est un délice, je ne vois pas pourquoi...

— Mais non, espèce d'andouille ! Pas la mère de ton père ! Celle de ta mère, voyons !

PEF se redresse et fronce les sourcils, indécis.

— Opale… tu sais que c'est impossible ?

— Et pourquoi cela ? dis-je en croisant les bras sur ma poitrine.

— Bien… elle n'a pas toute sa…, explique-t-il, en faisant tourner un doigt à hauteur de sa tête.

— Peu importe. Je vais trouver un moyen de lire dans ses pensées.

— Pourquoi tu veux la rencontrer, de toute façon ? Depuis qu'elle habite dans ce centre d'accueil, au village, c'est bien la première fois que tu me demandes d'aller la voir.

— C'est simple, PEF. Ta grand-mère est sûrement la seule personne qui a déjà connu Gisabel.

Et comme je veux en apprendre le plus possible sur mon arrière-arrière-grand-mère, je ne vois pas d'autres solutions !

— Connu... C'est un bien grand mot. Ma grand-mère était un tout petit bébé, à l'époque. Elle ne doit pas s'en souvenir. Elle ne se rappelle même pas mon nom, alors...

Je décèle une note de tristesse dans la voix de PEF. Je le comprends. Ce n'est pas évident de voir sa grand-mère dans cet état. La mienne est coincée dans son lit depuis un peu trop longtemps à mon goût, alors que la sienne commence à perdre tous les souvenirs de sa vie. Elle a la maladie d'Alzheimer. Voilà pourquoi elle a été placée dans un centre pour personnes âgées.

Je pose une main sur l'épaule de mon ami pour l'encourager et je murmure :

— Si tu veux, nous pourrions aller dans la tête de ta grand-mère ensemble. Ainsi, ça te permettra un peu de la retrouver. Qu'est-ce que tu en penses ?

PEF finit par ébaucher un sourire. Il hoche la tête et pousse un grand soupir, avant de reprendre :

— Ça me va. On y va quand ?

— Demain, après l'école ? On pourrait s'y rendre directement quand les cours seront terminés. Le centre où elle habite n'est pas très loin, je crois.

— Super ! Et maintenant, c'est à ton tour de me rendre service, tu te souviens…?

Je lève les yeux au ciel, pour la forme, mais accepte tout de même :

— D'accord… Tu veux quoi ?

— C'est facile… Je veux que tu lises dans les pensées de Millie pour savoir… si… si je lui plais…

— MAIS QU'EST-CE QUE TU PEUX BIEN LUI TROUVER ?!?

Argh ! S'il croit que je vais lui dire ce qu'elle pense de lui !!! Des plans pour qu'il aille pleurer dans son lit en petite boule ! Je ne lui souhaite pas ça. C'est quand même mon ami…

MAUVAIS CØUP
DU TROISIÈME ÂGE...

Je vous entends déjà me dire que je n'ai aucune morale... Eh bien, sachez qu'au contraire, comme le dit si bien le dicton: «Qui aime bien frappe son voisin!» Ah non, un instant, que je me souvienne... «Qui aime bien embrasse un chien?» Oubliez ça! J'ai un trou de mémoire...

Pour en revenir à nos porcs-épics pleins de tiques, je considère que la parfaite victime de mes mauvais coups a les cheveux blancs, se couvre d'un châle de dentelle et, surtout, porte des pantoufles autant le jour que la nuit…

Quoi ?!? Il faut profiter de notre visite dans ce centre pour personnes âgées pour leur redonner le sourire, non ?

Donc, voici la marche à suivre, si vous désirez que vos grands-parents se dilatent la rate eux aussi !

La grand-mère de PEF a la fâcheuse manie (ainsi que plusieurs autres de ses colocataires) d'enlever son dentier pour déguster son repas du midi. Dans une cafétéria bondée de vieillards, ça en devient presque la norme.

Profitez de leur étourderie pour échanger ces rangées de dents… Pas charitable, vous dites ? Oh, allez, un peu d'humour !!! Et puis,

de toute manière, ils risquent de ne même pas s'en rendre compte!

Enfin... pas avant d'avoir essayé de parler avec leur nouveau dentier ;-) Ou d'avoir croqué dans une pomme!

CLAC
CLAC

À quelques cheveux blancs de la solution

La cloche de l'école résonne entre les murs du bâtiment. (ENFIN!!!)

Je bondis de ma chaise, ramasse mes cahiers et cours vers la sortie. J'entends PEF éternuer un, deux, puis trois coups, avant de se mettre en marche. Il a attrapé un rhume, on dirait, puisqu'il a passé toute la journée à renifler et à se moucher. (Ce qui a eu l'air de dégoûter à la fois Millie ET Laurie!)

Loin derrière moi, mes deux amis m'obligent à ralentir le pas. Je songe un instant à arrêter le temps, question de ne pas me faire bousculer par tous les élèves qui tentent de sortir de l'école, eux aussi. Mais si je claque des doigts, je devrai aller chercher PEF et Millie, et les traîner sur mes épaules... PEF a beau être plutôt mince, il pèse une tonne!!!

Je me résous donc à me faufiler à travers la cohue. Une fois dehors, je laisse PEF nous guider en direction du centre pour personnes âgées. Après tout, il est le seul à y avoir déjà mis les pieds.

La bâtisse, construite sur un seul étage, n'est qu'à un coin de rue de notre école et nous y arrivons en moins de deux ! Le nez bouché, PEF nous explique la marche à suivre. Je comprends seulement la moitié de ce qu'il raconte, mais je lui fais confiance. Il doit savoir ce qu'il fait !

Je le regarde se présenter à l'accueil et discuter avec une dame. (Qui nous regarde d'un drôle d'air, par-dessus ses petites lunettes argentées.) Ensuite, nous devrions pouvoir pénétrer dans cet édifice mieux gardé qu'une prison ! On dirait d'ailleurs un grand hôtel, avec son superbe hall d'entrée.

Malgré le nez rouge et coulant de PEF, la dame de l'accueil

semble amadouée par ses talents de séducteur, car celui-ci se dépêche de revenir vers nous avec un large sourire. (J'en suis la première étonnée !!!)

— Tout est OK. Ma grandmère est dans la salle de repos. C'est juste au bout de ce couloir. Venez.

L'endroit sent le bonbon à la menthe (tu sais, les petits bonbons roses tout ronds) et la crème à mains. C'est une odeur agréable, bien que légèrement tenace. (Très loin des effluves de ma propre grand-mère, qui sent le patchouli et le basilic.)

Lorsque nous débouchons dans la pièce en question, je détaille les lieux d'un seul coup d'œil. Il faut dire que ce n'est pas bien grand. Des fauteuils ont été installés devant la seule télévision de l'endroit. Dans un coin, quelques chaises berçantes se balancent au rythme de leurs occupants.

PEF se dirige vers une grande table où une dame aux cheveux tout blancs joue aux cartes avec une autre vieille femme. Entre les deux, un petit bol de cristal dans lequel se trouvent des tonnes de bonbons roses attire aussitôt mon œil de bouvier bernois !

Moi qui adooooore les papar-manes !!!

— Bonjour, grand-maman, souffle PEF en souriant à son aïeule.

Le regardant à peine, cette dernière pose une carte sur la table, fière d'elle.

— Ah, ah ! Je t'ai eue !! Encore !!! Madeleine, tu n'es vraiment pas à ma hauteur, quand il est question de cartes ! Bon, laisse donc ta place à ce jeunot aux cheveux roux ! Peut-être que LUI sera un adversaire à ma taille !

— Peuh... Tu passes ton temps à tricher, Ange. En fait, tu portes si mal ton nom que tu devrais le changer ! Je te laisse avec ton petit-fils ! Je te souhaite qu'il te batte à plate couture ! se plaint la dame en se levant.

Occupée à ramasser ses cartes éparpillées sur la table, la grand-mère de PEF ne lui accorde même pas un coup d'œil. Puis, elle relève la tête et fixe mon ami, avant de demander :

— Tu sais jouer au paquet voleur, le jeune ?

— Bien sûr, grand-maman. On joue à chaque fois que je viens te voir. Tu te souviens de moi ?

— Jamais vu de ma vie ! lâche-t-elle en brassant les cartes, avant de les distribuer. Mais je suis certaine que je pourrai te battre ! Bon, tu es prêt ? T'as besoin d'un mouchoir, avant de commencer ?

PEF secoue la tête et me jette un coup d'œil déçu, mais il prend tout de même place devant sa grand-mère et ramasse les cartes qu'elle lui tend. Laurie s'assoit à côté de lui, tandis que je m'installe tout près de la vieille dame. Je l'observe marmonner tout bas, alors qu'elle place et déplace les cartes qu'elle tient entre ses petites mains ridées. (Qui me font penser au glaçage au beurre d'un délicieux gâteau à la vanille... Hum...)

Elle est jolie, la grand-mère de PEF. Ses traits sont délicats et elle a un petit nez retroussé qui me rappelle quelqu'un. (À savoir : PEF !) Sa tignasse est courte et va dans tous les sens, comme si elle s'était bagarrée avec le peigne, ce matin...

Laurie se racle la gorge, me ramenant à mes préoccupations immédiates. C'est vrai ! Je dois lire dans ses pensées pour voir ce que j'y découvrirai au sujet de mon ancêtre. La grand-mère de PEF est la seule personne (si on exclut Tourmalyne) qui a sûrement déjà croisé Gisabel. Sans plus attendre, je pose donc la main sur le bras de la vieille dame et ferme les yeux pour mieux me concentrer.

J'ai à peine le temps de mettre le pied dans sa tête que je reçois une solide tape sur les doigts et que je lâche prise. J'écarquille les yeux et rencontre le regard furieux de la grand-mère de PEF. Elle me détaille en fronçant les sourcils, sans même cligner les paupières ! (Wow, comment elle fait ? Moi j'aurais les yeux hyper secs...)

— À quoi tu t'amusais, jeune fille ? Tu ne serais pas...? Attends que je me rappelle... Ton nom va me revenir...

Elle crispe son visage déjà fripé, avant de secouer la tête, déçue.

— Ah non, ça m'échappe ! Mais je sais qui tu es ! J'ai connu ta mère. Et ta grand-mère bien avant. Pas question que je te laisse entrer dans ma tête sans ma permission !

— Quoi ?!? Vous avez senti que…?

Comment a-t-elle pu savoir que je tentais de percer ses pensées ???

— Tu crois peut-être que personne ne se doute de ce que tu fais ? Sache, jeune fille, que j'ai beaucoup plus d'expérience que toi. Et ce n'est pas parce que je ne suis pas télépathe moi-même que je ne peux pas ressentir ta présence dans ma tête ! J'ai eu un bon prof, il faut dire… À ce propos, tu ne trouveras pas ce que tu cherches sous cette tête blanche, lâche-t-elle, en pointant son crâne. Je n'ai pas connu la grand-mère de Tourmalyne. Désolée, tu devras chercher ailleurs…

Éberluée, je me rends compte que ma bouche est tout aussi ouverte que celle de mes amis. (J'ai donc l'air tout aussi idiot qu'eux !) Je referme rapidement ma mâchoire, qui menaçait de se décrocher, pour poser toutes les questions qui me turlupinent !

La grand-mère de PEF

* ☆ *

Ouf, la grand-mère de PEF a tout un caractère! Elle a beau ne pas avoir les idées toujours à la bonne place, elle sait se faire entendre. Je comprends maintenant d'où vient le caractère de phacochère de ce fichu PEF...

Je vous explique ce qu'il en est: Sa grand-mère s'appelle Ange. Mais son vrai nom, celui que sa mère lui a donné à la naissance, est Angeni. C'est un nom amérindien... Car tout comme ses ancêtres, la grand-mère de PEF est amérindienne! Et elle est amie avec Tourmalyne depuis qu'elles sont toutes petites.

C'est d'ailleurs étrange qu'elle se souvienne aussi bien de ma grand-mère, mais pas du tout de son petit-fils... PEF en est un peu triste, mais il a bien vite oublié ce détail pour écouter ce que racontait Angeni.

Selon ses dires, elle et Tourmalyne ont déjà rencontré une autre femme qui possédait le don de lire dans les pensées. Elle n'a pas pu me donner son nom, mais elle a dit qu'il ne s'agissait pas d'une gentille personne... Pour se protéger contre les intrusions de celle-ci, Tourmalyne et Angeni avaient trouvé une façon de bloquer leurs pensées aux intrus. En construisant un mur dans leur tête !

Ça doit être pour cela que je n'arrive plus à lire dans les pensées de Tourmalyne... Mais de qui devaient-elles se protéger? Voilà une question qui risque de me préoccuper un bon moment!

Revenons-en à nos phoques qui tricotent...

Grosse déception à l'horizon! Angeni n'a jamais rencontré Gisabel, car elle n'était qu'un bébé lorsque celle-ci est morte. Toutefois, elle a mentionné que je pourrais sûrement en connaître davantage sur cette dernière en trouvant son arbre. Pas tellement clair, tout cela! Il faudrait que j'en discute avec Laurie et PEF, mais ils ne semblent pas avoir très envie de réfléchir à la question...

8

Fièvre verte

Mes amis et moi déambulons lentement sur le bord du chemin. PEF s'amuse à donner des coups de pied sur chaque roche qu'il rencontre. Il affiche son plus bel air boudeur! Laurie, elle, n'arrête pas de parler du devoir de mathématiques que nous devons remettre demain matin.

(Je suis trop en retard !!! Mais... je pourrai toujours arrêter le temps, en matinée, pour le terminer tranquillement...)

De mon côté, je réfléchis aux dernières paroles d'Angeni. Elle a parlé d'un arbre… Celui de Gisabel. Comment mon aïeule peut-elle avoir un arbre juste à elle ? Peut-être qu'elle en a planté un ? Oui, mais quelle sorte ? Et où ? Sûrement sur notre terrain… Si seulement je pouvais demander à Tourmalyne !

Je finis par couper la parole à Laurie pour demander :

— Dites, ça vous dirait de venir chez moi ? Tante Annie a sûrement préparé assez de nourriture pour une tribu en entier et on pourrait travailler sur notre devoir de maths, ensuite ! Qu'est-ce que vous en dites ?

PEF hausse les épaules, sans même me jeter un regard, tandis

que Laurie mentionne simplement qu'elle doit demander la
permission à ses parents.

— Alors, PEF ? dis-je en
insistant. Tu viens, toi aussi ?

— Je ne sais pas…, mar-
motte-t-il, le caquet bas.

— Qu'est-ce qui se passe avec
toi, PEF ?!? Tu es de mauvaise
humeur depuis qu'on est partis
du centre ! Angeni est super cool,
tu sais. Tu devrais être content
d'avoir une grand-mère comme
elle !

— Chanceux, ouais…, lâche-
t-il en reniflant. Ce qui me rendrait
heureux, c'est au moins qu'elle me
reconnaisse quand je vais la voir !
Elle ne se rappelle jamais de moi !

— Ah… Je comprends. Mais
tu sais, ta grand-mère est spéciale,

et même… un peu excentrique. J'ai l'impression qu'elle fait ça juste pour savoir comment tu vas réagir. Et peut-être aussi pour s'assurer que tu viens la voir pour les bonnes raisons ? Je ne suis pas restée très longtemps dans sa tête, mais j'ai très bien vu ton nom dans ses pensées…

— Pour vrai ? Mais…

Il est interrompu par un énorme véhicule blanc qui passe en trombe tout près de nous. La sirène du véhicule résonne encore de longues minutes après qu'il nous a dépassés. Je m'apprête à faire un commentaire sur la manière de conduire du chauffeur, quand je comprends qu'il s'agit d'une ambulance… Et qu'elle vient de tourner le coin de la rue, la menant directement chez…

MOI!!!

Sans attendre, je détale comme une gazelle (oui, oui!) et j'arrive devant ma maison au moment même où j'aperçois une civière monter l'escalier conduisant au perron avant. Sur le seuil, tante Annie se tient droite, le visage sérieux, les yeux rouges.

— Tatie Annie ! Qu'est-ce qui se passe ? C'est grand-maman, c'est ça ?!?

Ma tante hoche la tête sans dire un mot. Pas question que je les laisse amener Tourmalyne à l'hôpital sans savoir ce qui se passe.

— Qu'est-ce qu'elle a ? Elle ne fait que dormir ! Vous pourriez la laisser se reposer encore quelques jours, non ? Au moins jusqu'à l'arrivée de papa ! C'est seulement dans trois jours !!

— Désolée, Opalyne. On ne peut plus attendre. Elle a commencé à faire de la fièvre et sa peau a pris une teinte verdâtre vraiment étrange. Si on ne l'amène pas à l'hôpital, qui sait combien de temps elle pourra tenir. Elle

doit recevoir des soins et nous ne
sommes pas équipées pour les lui
prodiguer.

— Mais...

— Non, Opalyne. C'est trop
tard, lâche-t-elle en pénétrant
dans la maison, m'abandonnant
sur le perron.

Lorsqu'elle ressort, elle est
accompagnée des infirmiers qui
tiennent solidement la civière où
repose maintenant Tourmalyne.
Il est vrai que son visage est d'une
couleur bizarre et que des gouttes
de sueur perlent sur son front.
Mais je ne veux pas la laisser partir. Pas sans avoir tout essayé ! Je
suis certaine qu'elle ne l'aurait pas
voulu. Elle a toujours eu une peur
bleu marine des hôpitaux !

Je lève donc le bras et claque des doigts, sans trop savoir ce que je vais faire. Puis, une idée surgit entre mes deux oreilles. Comme si quelqu'un me l'avait soufflée. L'impression est si forte que je jette des regards à ma droite et à ma gauche.

Personne…

Peu importe, d'ailleurs, car, dès que le temps se fige, je tourne les talons et déguerpis vers l'arrière de la maison. À l'endroit où se trouve le seul arbre qui existe depuis assez longtemps pour avoir appartenu à Gisabel…

Le grand chêne

★ ☆ ★

Il s'agit d'un arbre si haut et si imposant que, parfois, je me demande s'il ne touche pas le bout du ciel, avec ses plus longues branches. Même si j'étends les bras de chaque côté de mon corps, le chêne est encore plus large que moi.

Tourmalyne a toujours dit que cet arbre était spécial. Elle en récoltait parfois l'écorce pour en faire des préparations médicinales. Chaque fois, elle faisait un petit rituel que j'ai toujours trouvé ridicule. Aujourd'hui, face à l'immense chêne, je me dis que j'aurais dû être plus attentive à tout ce qu'elle racontait. (Et ce, même si je trouvais qu'elle radotait...)

Pauvre grand-maman. Si je ne me dépêche pas de trouver toutes les pierres de mes ancêtres, je ne pourrai plus rien faire pour l'aider. J'ai cette impression, au creux de mon ventre, que la maladie qui la terrasse est causée par un élément magique. Et je dois trouver le remède à tout prix ! Si ce remède existe...

Je me concentre donc sur tout ce que je connais au sujet du grand chêne, afin de trouver une idée géniale.

Tourmalyne me racontait que les chênes pouvaient vivre près de 500 ans. Parfois même jusqu'à 1000 ans !

Incroyable, non ?!

Celui qui est planté sur notre terrain n'est donc qu'un bébé, puisqu'il n'a pas plus de cent cinquante ans. En fait, je crois qu'il a été mis en terre en 1857, plus précisément. C'est ce que grand-maman m'a déjà dit. Moi qui suis un as des chiffres, j'ai retenu cette information sans problème!

Oh, tiens! Cette date me dit quelque chose. Je crois que... c'est la même année où Gisabel est venue au monde!!! Quelle imbécile je suis! Mais bien sûr! Cet arbre doit avoir un rapport avec mon ancêtre et la vie qu'elle a menée!!!!!!

Bon, si je veux en avoir le cœur net, il n'y a pas trente-six solutions! Je dois tenter de lire en lui... Ouais, mais lire dans les pensées

d'un arbre... Advienne que pourra!
Je lève les deux bras et pose les
mains sur le tronc froid et rugueux
du chêne.

Puis, je ferme les yeux...

9

L'arbre sacré

Des odeurs de sève et de feuillage humide envahissent mes narines. J'ai l'impression d'être ensevelie sous la terre et de ne sentir les rayons du soleil que sur ma tête et non sur mon corps.

Aïe! Ça chauffe! Est-ce que je vais attraper un coup de soleil?!?

Voyons! Si PEF était là, il me dirait que je panique pour rien! Je suis dans l'âme de l'arbre, c'est tout. Et il doit en être à l'étape de sa poussée. Lorsqu'il est sorti de la terre…

Je ne vois rien autour de moi. Je suis dans un mélange flou de lumière et de noirceur. Je sens mon corps s'étirer dans tous les sens, mes bras s'allonger, des bourgeons pousser sur ma tête. Ouf! On croirait que je suis devenue élastique. Je n'aime pas trop cela, mais les feuilles qui me sortent de partout me font oublier tout le reste!

Aoutch!

On me tire sur les cheveux!!! Qui me fait subir pareil traitement?!? Ça fait mal! J'ai beau être dans la peau d'un arbre, je ne suis pas faite en bois! Ah oui, c'est vrai… je suis désormais faite en bois…

Je sens qu'on m'entraîne ailleurs. Un vent chaud me chatouille le bout du nez. J'ai le goût d'éternuer, mais je n'ai plus de narines. Vous essayerez d'éternuer sans ces deux petits trous, vous!!!

Enfin, quelqu'un me dépose sur de la terre humide et enterre mes racines. Je viens d'être plantée. Je ne suis encore qu'un tout petit arbuste, mais je suis vite ballottée par les bourrasques, la pluie et... les balles des enfants!!

Laissez-moi un peu tranquille!

Puis, voilà que les choses s'améliorent. Un beau matin, on pose un paquet très lourd à mes pieds. C'est un bébé! Je ressens la chaleur de l'enfant, bien

emmailloté. Il se met à pleurni-
cher, puis à pleurer de plus en
plus fort. Il a vraiment toute une
voix, celui-là !

Sa minuscule main sort de
ses couvertures et agrippe mon
écorce. Un lien plus fort que tout
se crée entre ce bébé et moi (qui
ne suis qu'un arbre). C'est une
fillette. Elle est spéciale. C'est la
septième fille de sa famille. Et elle
aura un don. (Oh, comme moi !)
Un don qui lui permettra d'avoir
une vie différente de celle des
autres jeunes filles.

(C'est sûrement Gisabel !!!)

Elle cesse de pleurer. Elle
s'accroche à moi, tout en tétant
son pouce. Je lui insuffle un peu
de ma vie, de mon essence. Je sens
le courant passer entre nous deux.

Une femme s'agenouille près du bébé. Elle lui susurre des mots d'amour. Puis, elle se penche vers moi et me parle. Je reconnais sa voix. C'est celle de Félicienne, que j'ai déjà croisée, dans le passé...

« Toi, l'arbre, je te charge de protéger ma fille. De veiller sur elle et sur sa descendance. De garder en ton centre tous les secrets qu'elle voudra te confier. De ne les dévoiler qu'à celle qui saura venir les chercher. Sans forcer la nature qui l'entoure. Qui aura le don en elle. Qui le méritera. Et surtout, qui ne volera pas celui des autres...»

Elle se relève ensuite et pose sa main sur mon tronc si frêle. Une chaleur se répand dans ma sève. Enfin, elle reprend son enfant et repart.

Je voudrais retirer mes mains du tronc de l'arbre, mais j'ai l'impression qu'on me retient solidement à ce dernier. Comme si quelqu'un, dans mon dos, m'obligeait à voir ce qui va se produire dans la vie de l'arbre.

Les années passent. L'enfant grandit, se transforme en une fillette pleine de vie. Une femme mûre et avisée. Puis Gisabel devient une vieille dame consciente de ses pouvoirs, de sa famille et des enfants qui viendront après elle.

Une nuit où la lune brille de mille feux, elle marche péniblement vers moi. Je suis un arbre de plus de soixante-dix ans. Je suis pourtant encore très jeune, pour un chêne. Elle s'appuie sur mon tronc et, avec un outil que je ne connais pas, elle creuse un trou en mon centre.

Aïe! Ça fait mal! Pourtant, une part de l'arbre dans lequel je me suis glissée sait qu'elle ne lui veut pas de mal. Il a compris qu'il va devenir un gardien.

Dé la sève s'écoule du chêne. Gisabel ouvre alors sa main, qu'elle tenait bien fermée, et j'y aperçois un éclat rouge. Elle observe une dernière fois sa pierre magique, lui murmure quelques mots qui me parviennent : grenat, pierre, don… Puis, elle enfouit le tout au fond de mon cœur. Elle rebouche le trou avec de l'écorce. C'est à peine si on remarque la petite cicatrice qui s'est formée. Lorsqu'enfin elle a terminé son opération délicate, elle s'accroupit et pose la tête sur le tronc.

Voilà, je sais désormais où se cache la pierre de Gisabel ! Et je sais aussi qu'il s'agit d'un grenat, rouge de surcroît ! Maintenant, il me reste à trouver un moyen pour sortir cette pierre de là.

Mais avant tout, je dois réussir à lâcher cet arbre ! Sauf que je ne peux toujours pas !!

Je sens malgré moi le souffle de mon ancêtre qui s'échappe hors de son corps. Le chêne voudrait la maintenir en vie, comme il l'a fait si longtemps, mais il n'en a plus le pouvoir. Gisabel s'endort doucement. Si doucement, en fait, que seul le soleil finit par me tirer de ma léthargie et me fait comprendre qu'elle est partie. Pour de bon...

Je sens la peine du grand chêne à travers toutes les particules de mon corps. Pour me défaire de cette sensation désagréable, j'ouvre les yeux et tire de toutes mes forces sur mes bras afin de briser ce contact.

Je bascule vers l'arrière et atterris sur les fesses.

Autour de moi, la vie a repris son cours. Sans le vouloir, j'ai dû claquer des doigts, j'imagine, car j'entends les sirènes de l'ambulance qui ont recommencé à sonner.

Oh là là! Entrer dans l'âme d'un arbre, c'est sûrement le truc le plus étrange que j'ai fait de toute ma vie!!! Je dois toutefois me dépêcher de prendre la pierre de Gisabel. J'entends quelqu'un crier mon nom au loin. Je m'empresse de répondre à mes amis (puisque c'est d'eux qu'il s'agit), qui sont sûrement en train de me chercher.

Deux paires de bras supplémentaires ne seront pas de trop, c'est certain!

MAUVAIS C🟤UP
(LE DERNIER ET NON LE MOINDRE!)

CLAC
CLAC

Laissez-moi d'abord vous dire que le moment où vous me réclamez un mauvais coup n'est jamais le bon!!! Quoi, vraiment? On met de côté toutes mes aventures fan-tas-tiques pour s'amuser un peu? Maintenant???

D'une certaine façon, vous avez peut-être raison...

Quand on vit un grand stress, il faut savoir prendre le temps de se détendre. Surtout si on veut être au summum de son énergie, pour ensuite rebondir! Alors d'accord! Mauvais coup vous voulez?

Mauvais coup vous aurez! Et pas n'importe lequel...

Sauf que celui-là, je doute que vous arriviez à le reproduire. Ce n'est pas grave, il mérite tout de même d'être raconté!

Tout d'abord, choisissez votre cible avec beaucoup de précaution. Le but, ce n'est pas de lui faire peur, mais de lui faire croire qu'elle perd légèrement la boule... Dans mon cas, j'ai arrêté mon choix sur le directeur du Centre d'interprétation des Amérindiens. (Il n'avait qu'à ne pas nous regarder comme si nous étions des terroristes en puissance, mes amis et moi!)

Soyez certain que votre cible vous a remarqué. Ensuite, amusez-vous à claquer des doigts (et à figer le temps...) et changez

de place! Des heures et des heures de plaisir, alors que votre victime tentera de vous chercher, sans rien y comprendre! Elle risque d'avoir besoin d'un bon café par la suite et, surtout, de repos!!!

Allez, vous avez bien rigolé? Maintenant, ouste, on retourne à nos souriceaux au cacao!

10

Les carottes
sont cuites

PEF déboule devant moi, s'enfarge dans ses deux pieds et me tombe carrément dans les bras, avant d'éternuer un grand coup. Laurie n'est pas longue à suivre. Elle fronce les sourcils en nous voyant (TRÈS involontairement) enlacés.

— Euh... Ils sont en train d'emmener ta grand-mère dans l'ambulance, Opalyne ! Ce n'est pas vraiment le moment de faire des câlins à PEF!

Je repousse PEF, qui retrouve péniblement son équilibre, pour nier le tout en bloc.

— Mais non! C'est lui qui est tombé!

— Je me suis ENFARGÉ, bon! Ce n'est pas la fin du monde! Et ça ne nous dit pas ce que tu fais ici, alors que ta grand-mère est à deux doigts de partir pour l'hôpital...?!

Je me retiens de grommeler contre PEF et je m'explique:

— J'ai senti qu'il fallait que je vienne ici. Je ne sais pas pourquoi... Appelons ça « l'intuition »! Peu importe. L'important, c'est que cet arbre est sacré!!! Il a été planté en même temps que Gisabel...

— Gisabel…? demande PEF, toujours aussi perdu.

— MON ARRIÈRE-ARRIÈRE-GRAND-MÈRE !!! Il faut que tu suives le rythme, PEF ! Bref, ce chêne avait un lien privilégié avec mon ancêtre. En posant les mains sur son tronc, j'ai pu recréer ce lien et lire dans son âme.

— Wow…, murmure Laurie en ouvrant de grands yeux. Tu es trop forte, Opalyne ! Décidément, on aurait dû devenir de « meilleures ennemies » bien avant aujourd'hui, toi et moi !

Je rougis devant ce compliment et lui réponds que je suis bien d'accord avec elle. Et que nous devrions en profiter pour être carrément des amies.

— Bon, ça suffit, les déclarations d'amitié, les filles! On peut passer à ce qui est le plus pressant? nous coupe PEF, qui secoue la tête, exaspéré.

Pour une fois, je suis bien d'accord avec lui. Je continue sur ma lancée et leur raconte ce que j'ai vu en touchant l'arbre de Gisabel. Je ne laisse rien passer, de la naissance de l'arbre jusqu'au moment où mon ancêtre a inséré sa pierre magique (le grenat rouge) en son centre. Lorsque je me tais, mes amis sont en pleine réflexion.

PEF est le premier à s'exclamer:

— C'est vraiment un arbre sacré, alors… OK, c'est réglé, il faut ouvrir son tronc pour en sortir la pierre. C'est simple!

— Je sais, mais… comment on va faire ? Je n'ai aucune idée de la façon de procéder. Et le temps va nous manquer, si on ne se dépêche pas !

Le visage de Laurie s'éclaire soudain.

— Moi, je sais !!!

— Évidemment, toi tu sais toujours tout…, marmonne PEF, qui se rembrunit et croise les bras sur son ventre, le nez de plus en plus irrité.

— Veux-tu bien la laisser parler ! lui dis-je, en levant la main pour le faire taire. On est une équipe, désormais. Il va falloir arrêter de passer notre temps à nous dénigrer les uns les autres ! Même moi… il faudrait que je… En tout cas, vous m'avez comprise ! Vas-y, Laurie, on t'écoute !

(Il est hors de question que je cesse de dire tout haut ce que je pense de PEF... Même s'il me fait parfois rire, il peut aussi être si grrr...)

— Je crois bien que je suis la seule à avoir écouté les indications de notre animatrice, Troglodyte sucré, lors de notre sortie scolaire, non ?

PEF émet un drôle de bruit avec ses lèvres, tandis que je hausse les épaules. Il est vrai que, lors des explications de mon propre animateur (Rhododendron), je devais être dans le bois avec Millie, à essayer de stopper son feu ! PEF, lui, était sûrement en train de préparer un autre de ses mauvais coups...

— Il nous a expliqué comment enlever une carotte d'un arbre.

— Une carotte ? Il n'est pas question de prendre une collation, Laurie ! On mangera plus tard, voyons ! lâche PEF.

— Je sais, je sais ! Une carotte, c'est aussi un morceau de bois qu'on retire d'un arbre. C'est une manière de calculer son âge. On utilise un outil bien spécial pour cela. Je ne me souviens plus du nom, mais l'important, c'est de savoir comment il est fait, pour en trouver un !

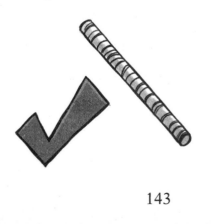

— Mais oui! Quelle bonne idée! Tourmalyne adore la nature et elle a toutes sortes d'outils dans notre grange. Elle les utilise pour travailler autant dans son jardin que dans la forêt. Peut-être qu'elle en a un... À quoi ça ressemble?

— Il y a un petit tube en métal qui sert de manche, dans lequel il faut introduire un autre tube muni d'une vis, pour le faire pénétrer dans le bois, m'explique Laurie.

Je la laisse à peine terminer sa phrase que, déjà, je claque des doigts, pour arrêter le temps. Aussi vite que mes jambes me le permettent, je file vers la grange, à la recherche de l'outil en question. Pas évident de trouver un objet qu'on n'a jamais vu de sa vie!

(D'ailleurs, je ne suis même pas certaine d'avoir bien compris les explications de Laurie...) Si je n'avais pas fait équipe avec Millie, aussi!!

Une fois dans la grange, je trébuche sur des tas de trucs qui traînent par terre. Le découragement monte en moi. Je réussis à m'accrocher de peine et de misère à une longue tige retenue sur un crochet, au mur. Je ne le trouverai tout simplement jamais, cet outil! Et puis peut-être que je cherche pour rien! Si Tourmalyne n'en avait pas? Qu'est-ce que je vais faire...?

En rageant contre tout ce qui ne tourne pas rond, je ferme les poings. Je constate alors que je tiens toujours la tige bien au creux de ma paume. J'y jette un rapide coup d'œil et un sourire éclaire soudain mon visage.

Tandis que je maudissais tout un chacun pour les épreuves dressées sur mon chemin, je tenais justement entre mes mains L'OUTIL tant convoité ! En effet, là, juste devant moi, accroché au mur, je déniche exactement ce que je cherche. Je suis certaine que c'est bien de cet objet que je pourrai me servir pour percer l'arbre sacré et en déloger le grenat rouge de Gisabel.

Mon don est presque à ma portée, désormais !!!

Le grenat rouge

★ ☆ ★

Depuis que je suis à la recherche des pierres précieuses de mes ancêtres, je me suis informée sur le sujet ! C'est que je dois pouvoir reconnaître chaque pierre que je trouve ! Et comment est-ce que je parviens à les identifier ? Grâce à leur éclat, à leur couleur (évidemment !), à leur grosseur, à leur forme et à leur dureté.

Celle que mon arrière-arrière-grand-mère a cachée au creux du grand chêne était d'un rouge éclatant. De plus, je mettrais ma main au feu (Bon, il ne faut pas exagérer non plus… Disons que je la poserais

AU-DESSUS du *feu* !) qu'elle l'a nommée son « grenat magique ».

Cette pierre est celle du mois de janvier, je crois. Plus dur que le rubis, qui a la même couleur, le grenat est parfois utilisé comme abrasif. Pour allumer des feux, quoi !!

Cela dit, peu importe sa dureté et son apparence, ce qui m'intéresse chez elle, c'est le don qu'elle pourra me procurer ! Je dois d'ailleurs y aller immédiatement, si je veux enfin le découvrir !!!

11

La bague
à trois gemmes

Ne sachant pas utiliser l'outil destiné à retirer la carotte de l'arbre, je claque des doigts et le dépose dans les mains de Laurie. Éberluée que j'aie pu agir aussi vite, elle prend quelques secondes pour comprendre ce qui se passe.

— Le voilà, Laurie ! Je l'ai trouvé dans la grange de Tourmalyne ! Allez, dis-nous comment il fonctionne !!

— Oui, mais… Je ne sais pas où faire le trou…

— Moi je le sais ! dis-je en cherchant la petite cicatrice qui s'était formée lorsque Gisabel a inséré sa pierre dans l'arbre.

Je l'indique à Laurie et, sans plus attendre, elle insère la vis de l'objet sur le tronc et fait tourner une manivelle, de manière qu'il s'enfonce dans l'arbre. Cela terminé, elle retire un bout de bois du grand chêne avec d'infinies précautions et laisse tomber le tout dans mes mains.

Un éclat lumineux nous éblouit alors tous les trois. Nous nous penchons vers mes paumes pour y découvrir un anneau comportant trois magnifiques gemmes de grenat. Ça ressemble à une

jolie fleur éclatante. PEF est le
premier à reprendre ses esprits,
peu impressionné par le bijou.

— Alors ? Tu vas aller l'insérer dans la sphère, maintenant ?

Ah oui ! La sphère ! Zut...
Il me reste si peu de temps... Je
hoche la tête, enfile la bague sur
mon majeur (car elle est beaucoup
trop grande pour mon annulaire),
et me relève. Cette fois, pas question d'agir toute seule. Mes amis
m'accompagnent ! Je leur fais
signe de se redresser eux aussi,
puisque nous ne sommes pas au
bout de nos peines.

Direction l'atelier de ma
grand-mère, où se trouve toujours
la sphère magique !

PEF nous dépasse en tous-
sant (pauvre de lui, il me fait
presque pitié) et se faufile entre
mes deux tantes, qui se tiennent
près de l'ambulance. La civière
de ma grand-mère est hissée dans
le véhicule et la porte, refermée

derrière elle. Les deux ambulanciers s'installent à l'avant, alors que mes tantes essuient discrètement leurs larmes. Je me glisse entre elles pour grimper sur le perron à mon tour.

Je n'ai pas le temps de regarder ce qui se passe dans mon dos, mais j'entends tout de même le moteur de l'ambulance qui a de la difficulté à démarrer. Je croise les doigts pour qu'il n'y parvienne carrément pas ! Mais en courant à travers le corridor menant à l'atelier, je l'entends se mettre à fonctionner.

« Zut, alors ! » me dis-je en tournant la tête.

PEF m'agrippe le bras et me fait pénétrer presque de force dans la pièce, tandis que Laurie me pousse pour que j'avance plus vite. D'accord, d'accord, je viens !!! Je saute sur la sphère et, sans même prendre le temps d'enlever la bague de mon doigt, je la colle contre la boule magique.

Le résultat ne se fait pas attendre : dans l'atelier de Tourmalyne, un éclat rougeâtre nous fait cligner des yeux. Je protège mon visage du mieux que je le peux, ma main toujours cramponnée à la sphère. Lorsqu'enfin la lumière baisse et que je peux retirer la bague, je constate que les gemmes de grenat n'y sont plus. Elles sont désormais dans la sphère. Et moi, je devrais normalement avoir mon nouveau don !!!

Qui est…?

PEF et Laurie se posent la même question, puisqu'ils s'empressent de me demander :

— Alors ??? Quel est ton nouveau don ? Crois-tu que tu pourrais guérir les maladies ? Ce serait ultra-pratique, avec ta grand-mère qui ne va pas bien ! Mais allez, DIS QUELQUE CHOSE ! s'impatiente PEF.

— Je ne sais pas !!! Et ne crie pas après moi !

— La meilleure façon de le savoir, c'est d'essayer de guérir PEF de son fichu rhume. Je suis vraiment tannée de l'entendre renifler depuis ce matin !

— Hé ! Ce n'est pas ma faute si je dois me moucher !!

— Le hic, justement, c'est que tu n'utilises pas de mouchoirs ! Tu es com-plè-te-ment dégueu, tu sauras ! réplique Laurie.

Mes deux amis se regardent comme s'ils voulaient se dévorer l'un l'autre, leurs visages à moins d'un centimètre de distance. Je les repousse et me positionne entre eux en soupirant.

— Ça suffit ! PEF, donne-moi ta main, je vais voir si je peux te guérir.

Oubliant sa dispute avec Laurie, il me la tend alors molle-ment. Je ferme les yeux pour me concentrer, mais je ne sens rien. Aucun courant magique ne passe entre nous et je ne ressens pas le moindre frisson. Je le lâche et l'interroge tout de même :

— Et puis…? Tu crois que…

— ATCHOUUUUM!!!

Nous voilà fixés… Mon don n'est clairement pas de guérir qui que ce soit! Mais alors, en quoi me sera-t-il utile? Je me précipite vers le corridor, car je n'entends plus la sirène de l'ambulance et j'anticipe le départ de Tourmalyne. Je n'ai rien pu faire pour l'empêcher de partir…

Argh! Si au moins mon père était revenu avant! Il aurait pu m'écouter, lui, et faire entendre raison à mes tantes!! Ma grand-mère serait peut-être encore là… Endormie dans son lit, c'est vrai, mais au moins à la maison!

C'est au moment où je me fais cette réflexion que j'entends le murmure d'une voix que je crois reconnaître... En m'approchant de la porte d'entrée, je distingue une silhouette tout près de l'ambulance (qui s'est embourbée dans un trou de vase, juste au tournant de notre terrain!). Ouf, Tourmalyne n'est pas très loin.

Un adulte portant un chapeau à larges bords et une chemise d'explorateur commande aux ambulanciers de faire descendre la civière où est couchée ma grand-mère! Et lorsque l'homme se tourne dans ma direction, je reconnais ce visage, cette moustache, ce sourire...

Il s'agit de nul autre que... MON PÈRE!!!

Mais comment est-ce possible??? Il n'a pas pu apparaître juste là, devant moi, par magie!!

À moins que…

Laurie et PEF se penchent chacun de leur côté près de mon oreille, pour chuchoter, les yeux grands ouverts :

— Opale, tu as fait déplacer ton père jusqu'ici ! Voilà ton nouveau don…

— Tu es maintenant capable de faire de la télékinésie !!!

À SUIVRE…

DANS LE TOME IV :
La malédiction de la sphère

Mon auteure, Marilou Addison

* ☆ *

Ça fait maintenant TROIS romans que vous lisez de mon auteure à moi, Opalyne Otys, et pourtant... JAMAIS je ne vous ai entendu poser la moindre question à son sujet *!!!* Soit vous n'êtes absolument pas curieux, soit... Je vous laisse terminer ma phrase.

Bon, je vous accorde le bénéfice du coude, non, de la route. Voyons, qu'est-ce que c'est, déjà*?!* Ah oui: du doute*!!* Bref, je vais me faire un plaisir de vous la présenter MOI-MÊME*!*

Alors voici: Marilou Addison est une fille (ouais, ok, ça ne commence

161

pas en *force*) originaire de Montréal. (*Information trouvée sur Wikipédia, hi, hi. Je sais faire des recherches, vous saurez!*) Son père était (*tenez-vous bien…*) professeur de *français*! Et sa mère? Écrivaine!! Aimer les livres ne devait pas être une option… Elle a trois enfants. Que des garçons. (*Oulàlà, paaaauvre Marilou!*) J'imagine qu'elle doit m'envier, avec toutes les sœurs que j'ai! Elle a deux chiens (*hoooon, j'adore les chiens…*) et un chat. (*S'il est comme mon matou Fantôme, il n'y a pas de quoi s'extasier!*) Bref, il y a bien du monde chez elle!

Je me demande d'ailleurs quand elle trouve le temps d'écrire mes histoires. Elle a teeeellement d'imagination!

— Bof... pas tant que ça. Je ne comprends toujours pas pourquoi elle m'a mis les cheveux roux! Tu imagines, mes cheveux sont ORANGE !!

Heu... PEF, c'est toi ? Mais qu'est-ce que tu *fais* ici ? C'est moi qui présente Marilou ! Ouste, du vent ! Je n'ai pas besoin de toi dans les parages. Tu me déconcentres !!!

— Voyons, Opale, j'ai des tas de trucs à dire, sur notre auteure. Et moi aussi, j'ai droit de parole, tu sauras!

Hum... J'hésite. Tu critiques tout le temps tout le monde. Mais bon, je te laisse une chance. Au moindre commentaire déplacé, je te jette dehors, compris ?

— Ouais, ouais. Alors, comme je le disais, Marilou aurait pu me donner des cheveux blonds. Qui flottent sur les épaules. Comme ces surfeurs, vous voyez? Et j'aurais bien aimé être plus grand. Oh, quelques centimètres à peine. Avec des muscles et tout le tralala. Enfin, je dis ça comme ça, moi. Je ne suis pas auteur. Je ne suis qu'un personnage de roman...

Justement! Tu racontes n'importe quoi, PEF! Plus musclé, pfff! Ri-di-cu-le! Attends, qu'est-ce que tu caches dans ton dos? Non, ne me dis pas que... Lâche ce crayon-feutre INDÉLÉBILE tout de suite!!!

Je souhaite que tu te retrouves la tête en bas, les pieds pris dans la plus haute branche du grand chêne! Ouf! Le voilà disparu. Ce nouveau don me sera vraiment très utile, je crois...

Revenons-en à nos pandas multicolores.

Aïe, aïe, aïe!!! Comment dire... J'en étais rendue à vous montrer une photo de Marilou. Eh bien, tout ce que je vous suggère, c'est de faire abstraction des marques de crayon...

Désolée, Marilou, j'ai fait ce que j'ai pu. Mais ne t'inquiète pas avec ça: PEF va me le payer! Et pas plus tard que dans le tome IV!! J'ai confiance en toi, tu vas sûrement me trouver un abominable mauvais coup à lui faire...